狐狸爸爸笑了

[日]宫西达也 / 著
米雅 / 译

有一天，
狐狸爸爸笑嘻嘻地说：
"我现在要出门去抓猪，
今天会有非常非常好吃的
猪肉大餐哟！"

"哇——哇——"
小狐狸们都开心极了。
"亲爱的，加油！
我们等你回来。"
狐狸妈妈也非常高兴。

青岛出版社
QINGDAO PUBLISHING HOUSE

"路上小心啊——"

"爸爸，您要早点儿回来哟——"

听见狐狸妈妈和孩子们

在后头叮咛，

狐狸爸爸信心满满地说：

"放心——

我会抓一堆猪回来的！"

狐狸爸爸翻山越岭，
终于来到了
猪居住的地方。
他从山丘上往下看了看，说：
"哇——可口的猪肉！
就从红屋顶那家的猪开始下手吧……
嘻嘻嘻……"
狐狸爸爸咕噜咽了一下口水，
走下山丘。

"一、二，一、二……"
眼前的这只小猪
正卖力地往树上爬。

狐狸爸爸
悄悄地、悄悄地
往小猪的身后靠了过去……
正想一口咬下去，
没想到——

"大叔！你怎么站在那里发呆啊？

快过来推我一把！

等我摘到苹果，会分给你一些的。

快过来！"

住在这里的小猪

从来没见过狐狸。

狐狸爸爸想都没想

就大声地回答：

"没问题！"

就这样，
狐狸爸爸和小猪
摘了好多红通通的苹果。
"真好吃啊！"
"真的很好吃！"
"不过，大叔，
你刚才本来想做什么啊？"
被小猪这么一问，狐狸爸爸
又想都没想就回答：

"原来如此……
那你把这些苹果
带回去吧，大叔。
以后，我们还要一起
摘苹果哟——！"
临走前，听见小猪这么说，
狐狸爸爸开心地回答：
"谢谢你——"

抱着苹果走在路上，
狐狸爸爸心里想：
"怎、怎么会这样呢？……哎呀，算了，
我这就去抓蓝屋顶那家的小猪，
嘻嘻嘻……"

哗啦啦——哗啦啦——
那家的小猪正在浇花。

狐狸爸爸悄悄地、悄悄地
往小猪的身后靠了过去……
正想一口咬下去，没想到——

"大叔！你在干什么？！
我在那儿撒了花的种子，
你不能进去！"
狐狸爸爸想都没想
就大声地回答：
"对不起！"

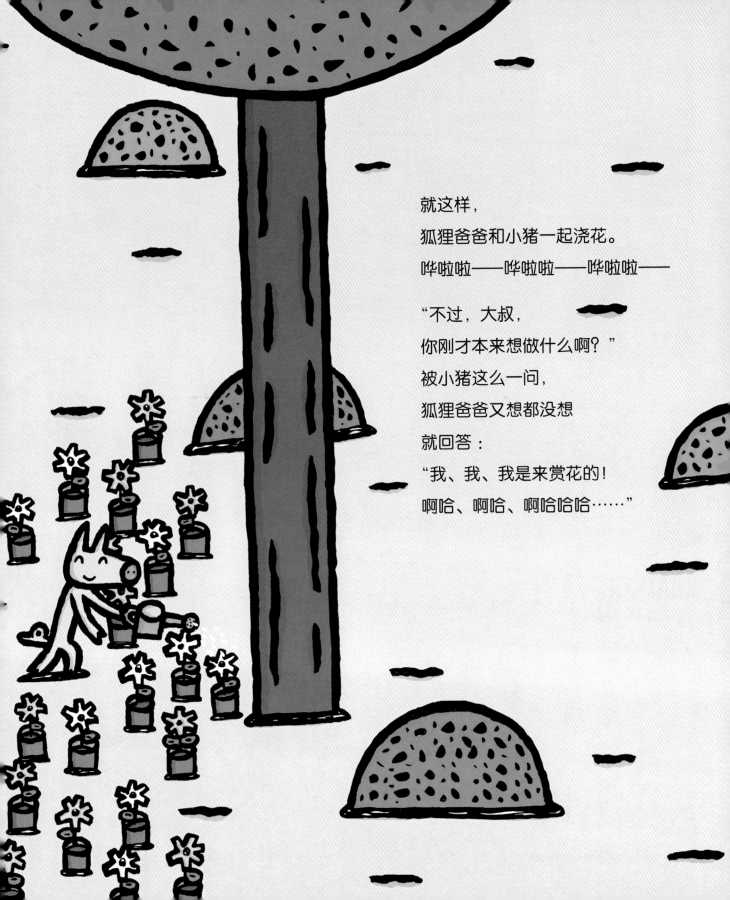

就这样，
狐狸爸爸和小猪一起浇花。
哗啦啦——哗啦啦——哗啦啦——

"不过，大叔，
你刚才本来想做什么啊？"
被小猪这么一问，
狐狸爸爸又想都没想
就回答：
"我、我、我是来赏花的！
啊哈、啊哈、啊哈哈哈……"

"原来如此……
那你把这盆花
带回去吧，大叔。
以后，我们还要一起
浇花哟——！"
临走前，
听见小猪这么说，
狐狸爸爸开心地回答：
"谢谢你——"

抱着苹果和花走在路上，
狐狸爸爸心里想：
"怎、怎么会这样呢？……哎呀，算了，
我这就去抓黄屋顶那家的小猪，
嘻嘻嘻……"

唰唰、唰唰、唰唰、唰唰……
小猪正在油漆屋顶。

狐狸爸爸悄悄地、悄悄地
往小猪的身后靠了过去……
正想一口咬下去，没想到——

"大叔！
那里的油漆还没干透呢！"
"啊！"
狐狸爸爸脚下一滑，踩空了，
直接摔了下去——
"啊——！"

"都、都怪我喊得太大声了。
大叔，你被吓了一跳，
才掉下去的吧？……对不起。"
小猪轻轻地
为狐狸爸爸抹药。
小猪柔柔地
为狐狸爸爸包扎。

"不过……大叔，
你为什么爬到屋顶上去呢？"
被小猪这么一问，狐狸爸爸
想都没想就回答：
"因为我想和你交朋友啊。"

嗒嗒、嗒嗒、嗒嗒……
狐狸爸爸起身走路。
"大叔，你就在这儿
待到腿伤完全好了吧。"
小猪一脸担忧地说。
"没事！没事！"
狐狸爸爸开心地回答。
然后，他挥挥手，
笑嘻嘻地说：
"谢谢你——"

回家的路上，狐狸爸爸慢慢走着。

他看看苹果，笑了；看看那盆花，笑了；

看看受伤的那条腿上的绷带，笑了。

他笑啊，笑啊，笑啊，笑个不停。

狐狸爸爸一回到家，
狐狸妈妈和小狐狸们就问他：
"好吃的猪在哪里？"
狐狸爸爸笑了，
跟他们说了苹果的事，
又说了花的事，
还说了绷带的事。
然后，狐狸爸爸笑嘻嘻地说：
"那些善良的小猪，
我们哪吃得下去啊？"